Spielerisch Deutsch lernen: Erste Wörter und Sätze

Inhalt:

Zahlen

Bobo Bär, Harry Hase und Dani Dachs
sind in den Ferien am Meer.

1 eins	
2 zwei	
3 drei	
4 vier	
5 fünf	

Eins, zwei, Polizei;
drei, vier, Offizier;
fünf, sechs, alte Hex';
sieben, acht,
gute Nacht;
neun, zehn,
schlafen geh'n.

1 Lass dir die Zahlwörter vorlesen und sprich sie nach.
Suche die Gegenstände aus den Kästchen im Bild.
Zähle sie laut.

2 Lass dir den Reim im linken Kasten vorlesen. Sprich
den Reim laut nach und wiederhole ihn mehrmals.

	6 sechs
	7 sieben
	8 acht
	9 neun
	10 zehn

3 Im Bild haben sich einige Zahlen versteckt. Findest du sie? Umkreise sie und sprich die Zahlwörter laut.

11 – elf
12 – zwölf

4 Im rechten Kasten findest du noch zwei Zahlen. Schau auf eine Uhr. Findest du darauf die Zahlen von 1 bis 12?

Farben

Dani Dachs hat einen großen Garten.
Isa Igel hilft ihm oft bei der Gartenarbeit.

gelb

blau

rot

grün

Gelb ist die Sonne,
grün ist der Klee,
blau ist der Himmel,
und weiß ist der
Schnee.

1 Lass dir die Farbwörter vorlesen. Sprich sie nach und zeige dabei auf den richtigen Farbklecks. Welche Farben haben die Kleidungsstücke von Isa Igel?

2 Lass dir den Reim vorlesen und wiederhole ihn mehrmals. Kannst du ihn auswendig aufsagen?

Die Blume ist blau.
Die Blume ist ...

3 Zeige auf jede Blumensorte im Beet und nenne das passende Farbwort. Male dann den weißen Klecks in der richtigen Farbe an.

4 Welche Farben haben die Blumen in den Töpfen? Bilde jeweils einen Satz, z. B. *Die Blume ist blau.*

Kleidung

Mama Bär hat die Kleider zum Trocknen aufgehängt.
Bobo Bär hat Kleider von seinem Vater an.

der Pullover

die Hose

das T-Shirt

die Unterhose

**Da ist der Pullover.
Da sind die Socken.**

1 Lass dir die Namen der Kleidungsstücke vorlesen.
Sprich sie nach und zeige auf die richtigen Kästchen.

2 Welche Kleider hängen an der Wäscheleine?
Zeige darauf und bilde Sätze. Der Kasten links hilft
dir. Findest du auch die Schuhe? Wo sind sie?

die Jacke

der Hut

die Socken

die Schuhe

3 Das Stofftier von Bobos Schwester hat auch verschiedene Kleidungsstücke. Welche Farbe haben sie? Bilde Sätze, z.B. *Der Pullover ist gelb.*

Der Pullover ist gelb.
Die Hose ist ...
Das T-Shirt ist ...
Die Socken sind ...

4 Schau in deinen Kleiderschrank. Welche Kleider sind darin? Welche Farbe haben sie?

Beim Arzt

Dani Dachs und Harry Hase sind heute beim Arzt.
Doktor Dachs begrüßt sie freundlich.

das Auge

der Mund

die Nase

das Ohr

Was ist das?
Das ist ein Mund.
Das ist eine Nase.
Das ist ein Auge.

1 Lass dir die Namen der Körperteile vorlesen.
Wiederhole die Wörter laut und zeige auf das
richtige Kästchen.

2 An der Wand hängt ein Bild. Auf welche Körperteile
zeigen die Pfeile? Bilde Sätze wie im linken Kasten.

der Arm

das Bein

die Hand

der Fuß

3 Dani Dachs und Harry Hase haben sich verletzt.
An welchen Körperteilen haben sie einen Verband?

4 Stell dich vor einen Spiegel und benenne deine
Körperteile. Zeige z. B. auf deinen Arm und sage:
Was ist das? Das ist mein Arm.

Das ist mein Mund.
Das ist meine Nase.
Das ist mein Auge.

Die Familie

Familie Bär hat heute ein Familienfest.
Der Fotograf macht ein Foto.

die Mutter

der Vater

die Schwester

der Bruder

Wer ist das?
Das ist mein Vater.
Das ist meine Mutter.
Das ist ...

1 Lass dir die Wörter vorlesen. Sprich sie nach und zeige jeweils auf das richtige Kästchen. Suche dann das richtige Familienmitglied im Bild.

2 Wie viele Bären werden fotografiert? Wie viele Bärenkinder siehst du? Zähle laut.

der Opa

die Oma

der Onkel

die Tante

3 Nimm Fotos von deiner Familie und zeige auf jede Person. Bilde dazu Sätze: *Wer ist das? Das ist mein Vater. Das ist meine Mutter.*

4 Wer gehört zu deiner Familie? Bilde Sätze wie im rechten Kasten: *Ich habe …*

Ich habe einen Vater.
Ich habe eine Mutter.
Ich habe zwei Brüder.
Ich habe zwei Schwestern.
Ich habe …

11

Tiere

Bobo Bär hat heute Geburtstag und feiert ein Fest.
Alle seine Freunde sind gekommen.

der Löwe

das Zebra

der Affe

der Elefant

die Giraffe

Zum Geburtstag
viel Glück,
zum Geburtstag
viel Glück,
alles Gute,
lieber Bobo,
zum Geburtstag
viel Glück.

1 Lass dir die Tiernamen vorlesen und sprich sie nach.
Zeige jeweils auf das richtige Kästchen.

2 Bobos Freunde singen ihm ein Geburtstagslied.
Den Text findest du im linken Kasten. Kannst du
das Lied auch singen?

12

der Dachs

der Bär

die Maus

der Hase

die Ente

3 Wie viele Tiere siehst du auf dem Bild? Kennst du auch noch andere Tiere?

Wie alt bist du?
Ich bin … Jahre alt.

4 Wie alt bist du? Antworte: *Ich bin … Jahre alt.* Frage auch deine Freunde und deine Familienmitglieder nach ihrem Alter.

Im Badezimmer

Die Freunde haben bei Bobo Bär übernachtet.
Morgens waschen sie sich im Badezimmer.

die Zahnbürste

die Seife

der Kamm

der Föhn

das Handtuch

Das Handtuch ist rot.
Die Zahnbürste ist …
Meine Zahnbürste ist …

1 Lass dir die Namen der Gegenstände vorlesen.
Sprich sie laut nach und suche die Dinge im Bild.

2 Welche Farben haben die Zahnbürsten im Becher
und die Handtücher? Welche Farbe hat deine Zahnbürste? Bilde Sätze. Der linke Kasten hilft dir.

der Spiegel

das Waschbecken

die Badewanne

die Toilette

der Wasserhahn

3 Geh in dein Badezimmer. Erzähle, was du dort alles siehst. Der rechte Kasten hilft dir.

Da ist ein Kamm.
Da ist eine Seife.
Da ist ...

4 Bilde Wörter mit Wasser, z. B. *Wasserhahn.*
Diese Wörter helfen dir: *Ball, Flasche, Eimer, Farbe, Glas, Melone.*

In der Küche

Dani Dachs und Milli Maus sind bei Familie Bär eingeladen. Sie frühstücken zusammen.

das Messer

der Löffel

die Gabel

der Teller

das Glas

Es gibt fünf Orangen.
Es gibt … Äpfel.
Es gibt … Birnen.

1 Lass dir die Wörter vorlesen. Sprich sie nach und zeige jeweils auf das richtige Kästchen. Suche die Dinge im Bild.

2 Wie viele Orangen, Äpfel und Birnen gibt es im Bild? Zähle laut. Bilde Sätze, z. B. *Es gibt fünf Orangen.*

die Orange

die Banane

der Apfel

die Birne

die Tomate

3 Im Kühlschrank gibt es auch noch andere Dinge.
Weißt du, wie sie heißen?

4 Bobo Bär möchte gern eine Banane. Was sagt er?
Der rechte Kasten hilft dir. Schau dir den Kühlschrank an. Was möchtest du gern?

**Ich möchte gern
eine Banane.
Ich möchte gern
einen Apfel.
Ich möchte ...**

Im Kinderzimmer

Harry Hase hat Besuch von seinen Freunden.
Jeder hat sein Lieblingsspielzeug mitgebracht.

das Bett

der Tisch

der Stuhl

die Lampe

**Mein Lieblings-
spielzeug ist der
Teddybär.**

1   Lass dir die Namen der Gegenstände vorlesen.
Sprich sie laut nach und suche die Dinge im Bild.

2   Wer hat welches Lieblingsspielzeug? Fahre die
Linien nach. Was ist dein Lieblingsspielzeug?
Bilde einen Satz: *Mein Lieblingsspielzeug ist …*

die Puppe

der Ball

das Buch

der Teddybär

3 Wie viele Bälle und wie viele Bücher siehst du
im Kinderzimmer? Zähle sie laut.

4 Geh in dein Kinderzimmer. Findest du dort Dinge,
die auch im Bild abgebildet sind? Zeige darauf und
bilde Sätze, z.B. *Ich habe ein Bett.*

Ich habe einen Ball.
Ich habe eine Puppe.
Ich habe ein Bett.
Ich habe …

In der Stadt

Bobo Bär und Dani Dachs sind in der Stadt
beim Einkaufen. Auf der Straße ist viel Verkehr.

das Motorrad

das Fahrrad

das Auto

der Bus

der Lastwagen

**Da ist ein Lastwagen.
Da ist eine Ampel.
Da ist ein Haus.**

1 Wie heißen die Dinge in den Kästchen? Suche
sie im Bild und bilde Sätze wie im linken Kasten.

2 Welche Fahrzeuge gibt es in deiner Stadt?
Mit welchen bist du schon gefahren?
Welches Fahrzeug gefällt dir am besten?

das Haus

das Fenster

das Dach

der Fußgänger

die Ampel

3 Setze dich mit geschlossenen Augen an ein offenes Fenster und höre genau hin. Wer oder was macht Geräusche? Bilde Sätze wie im rechten Kasten.

**Ich höre einen Lastwagen.
Ich höre ein Auto.
Ich höre ...**

4 Male ein Bild von deiner Straße. Erzähle, was darauf zu sehen ist.

Beim Einkaufen

Die Freunde sind gemeinsam beim Einkaufen.
Dani Dachs bezahlt alles.

die Nudeln

das Brot

der Käse

die Eier

die Wurst

Ich esse gern Nudeln. Ich esse nicht gern Salat.

1 Wie heißen die Dinge in den Kästchen? Suche sie im Bild. Welche davon isst du gern, welche isst du nicht gern? Bilde Sätze wie im linken Kasten.

2 Was isst du zum Frühstück, zum Mittag- oder zum Abendessen? Bilde Sätze wie im rechten Kasten.

der Saft

die Butter

der Salat

die Milch

der Honig

3 Spiel-Tipp: Lebensmittel-Memory

Du brauchst: Pappkärtchen, Schere, Klebstoff, Prospekte. Schneide aus den Prospekten immer zwei gleiche Lebensmittel aus. Klebe sie auf zwei Kärtchen. Spiele Memory. Nenne die passenden Namen, wenn du die Kärtchen aufdeckst.

**Zum Frühstück esse ich Brot.
Zum Mittagessen esse ich …
Zum Abendessen esse ich …**

Auf dem Spielplatz

Heute treffen sich Bobo Bär, Harry Hase, Milli Maus, Dani Dachs und Ella Ente auf dem Spielplatz.

der Eimer

die Schaufel

die Fahne

die Sandburg

die Puppe

**Das ist Bobo Bär.
Das ist …**

1 Lass dir die Wörter in den Kästchen vorlesen und suche die Dinge auf dem großen Bild. Schau das Bild genau an: Was gehört nicht auf den Spielplatz?

2 Zähle die Tiere. Von welchen kennst du den Namen? Schau auf Seite 1 nach. Bilde Sätze: *Das ist …*

die Rutsche

die Schaukel

der Sandkasten

die Leiter

die Bank

3 Erzähle, was die Tiere auf dem Bild tun. Bilde Sätze.
Die Wörter im rechten Kasten helfen dir.

4 Erzähle: Was gefällt dir auf dem Spielplatz
besonders gut? Was möchtest du dort gern
machen? Bilde Sätze: *Ich möchte gern …*

schaukeln
rutschen
sitzen
spielen

Ich möchte gern
schaukeln.
Ich möchte gern …

Auf dem Bauernhof

Bobo Bärs Onkel hat einen Bauernhof.

Die Freunde besuchen ihn oft.

der Traktor

die Blume

die Sonne

der Zaun

der Baum

**Mein Lieblingstier
ist das Pferd.
Mein Lieblingstier
ist ...**

1 Wie heißen die Tiere und Dinge in den Kästchen?

Suche sie im Bild. Welches der Tiere legt Eier?

2 Was ist dein Lieblingstier? Bilde einen Satz:

Mein Lieblingstier ist ...

die Kuh

das Schwein

das Pferd

das Schaf

das Huhn

3 Weißt du, welche Geräusche die Tiere im Bild
machen? Nenne den Tiernamen und mache
das passende Geräusch dazu.

Es sind ... Äpfel.

4 Zähle die Äpfel im Baum. Wie viele sind es?
Bilde einen Satz: *Es sind ... Äpfel.*

Jahreszeiten

Bobo Bär und seine Freunde sind bei jeder Jahreszeit gern draußen.

Der Frühling bringt
Blumen,
der Sommer bringt
Klee,
der Herbst bringt die
Trauben,
der Winter den
Schnee.

1 Wie heißen die Jahreszeiten? In welcher Jahreszeit hast du Geburtstag?

2 Lass dir den Reim zu den Jahreszeiten vorlesen. Sprich ihn nach. Kannst du ihn auch auswendig aufsagen?

3 Schau dir die Bilder an. Welche Dinge machst du in den unterschiedlichen Jahreszeiten?

4 Beschreibe das Wetter zu den unterschiedlichen Jahreszeiten. Der rechte Kasten hilft dir. Welche Jahreszeit gefällt dir am besten? Erzähle, warum.

Im Frühling ist es warm.
Im Sommer ist es …
Im Herbst ist es …
Im Winter ist es …

Tätigkeiten

Heute malen Bobo Bär und seine Freunde Bilder von ihren Lieblingsbeschäftigungen.

spielen	kochen

Isa Igel spielt.
Bobo Bär kocht.
Milli Maus singt.
Dani Dachs malt.

1 Was machen Bobo Bär und seine Freunde auf den Bildern? Lass dir die Tunwörter in den Kästchen vorlesen und bilde Sätze. Der linke Kasten hilft dir.

2 Welche Berufe passen zu den Tunwörtern *kochen, backen, singen, malen, tanzen*?

singen

malen

3 Versuche Tunwörter darzustellen, ohne dabei zu sprechen (z. B. hüpfen → hüpfe in die Luft). Erraten die anderen, welches Wort du meinst?

Ich kann malen.
Ich kann singen.
Ich kann pfeifen.
Ich kann …

4 Was kannst du schon? Erzähle. Bilde Sätze:
Ich kann … Der rechte Kasten hilft dir.

Lösungen

Seiten 2/3

1. Auf dem Bild sind zu sehen:
eine Sonne, zwei Bojen, drei Kokosnüsse,
vier Boote, fünf Fähnchen, sechs Enten,
sieben Eimer, acht Krebse, neun Palmen,
zehn Bananen.
3. Zahlen im Bild: 1, 3, 9, 4, 7, 8

Seiten 4/5

1. Isa Igels Kleidungsstücke sind gelb
und blau.
3. Blumen im Beet (von links nach rechts):
blau, gelb, rot, orange, rosa
4. Die Blume ist blau/rot/gelb/weiß/rot/rosa/
blau/weiß/orange. (von links nach rechts)

Seiten 6/7

2. Da ist das T-Shirt. Da ist der Pullover.
Da sind die Socken. Da ist die Unterhose.
Da ist die Hose. Da ist die Jacke.
Die Schuhe liegen im Korb.
3. Die Hose ist blau. Die Hose ist schwarz.
Das T-Shirt ist gelb. Die Jacke ist rot.
Die Unterhose ist gelb. Der Pullover ist gelb.
Die Socken sind blau.

Seiten 8/9

2. Das ist eine Hand. Das ist ein Arm.
Das ist ein Bein. Das ist ein Fuß.
Das ist ein Ohr. Das ist ein Auge.
Das ist eine Nase. Das ist ein Mund.
3. Dani: Arm; Harry: Ohr, Bein und Fuß

Seiten 10/11

2. Neun Bären werden fotografiert.
Es sind drei Bärenkinder.

Seiten 12/13

3. Auf dem Bild sind zehn Tiere zu sehen.

Seiten 14/15

2. Das Handtuch ist weiß/grün/rot/blau.
(von links nach rechts)
Die Zahnbürste ist blau/gelb.
4. Wasserball, Wasserflasche, Wassereimer,
Wasserfarbe, Wasserglas, Wassermelone …

Seiten 16/17

2. Es gibt fünf Orangen. Es gibt drei Äpfel.
Es gibt drei Birnen.
3. Im Kühlschrank: die Karotte/die Möhre,
die Gurke, die Banane, die Ananas,
die Kirsche, die Erdbeere, die Melone,
die Flasche

Seiten 18/19

2. Bobo: Ball   Harry: Buch
Milli: Puppe   Bär: Teddybär
3. Im Kinderzimmer sind acht Bälle und
vier Bücher.

Seite 20/21

1. Da ist ein Motorrad. Da ist ein Fahrrad.
Da ist ein Auto. Da ist ein Bus.
Da ist ein Lastwagen. Da ist ein Haus.
Da ist ein Fenster. Da ist ein Dach.
Da ist ein Fußgänger. Da ist eine Ampel.

Seiten 24/25

1. Die Flasche, der Löffel und der Salat
gehören nicht auf den Spielplatz.
2. Auf dem Bild sind neun Tiere.
Das ist Bobo Bär/Harry Hase/Milli Maus/
Dani Dachs/Ella Ente.
3. Lösungsmöglichkeit: Ein Hase schaukelt.
Ein Hase rutscht. Ein Hase sitzt auf der
Bank. Ein Hase spielt im Sandkasten.

Seiten 26/27

1. Das Huhn legt Eier.
4. Es sind zwölf Äpfel.

Seiten 28/29

1. Die Jahreszeiten heißen: Frühling, Sommer,
Herbst und Winter.
4. Im Frühling ist es warm. Im Sommer ist es
heiß. Im Herbst ist es windig. Im Winter ist
es kalt.

Seiten 30/31

2. kochen – der Koch, backen – der Bäcker,
singen – der Sänger, malen – der Maler,
tanzen – der Tänzer